Line Notes (cont.)

29

31

33

35

Space Notes

7

9

11

13

15

17

26

28

30

32

34

36

ISBN-10: 0-8497-7382-2
ISBN-13: 978-0-8497-7383-2

Note Puzzles

A. Fill in the blanks and the keyboards with letter names to complete each puzzle.

1. **B** up a skip __D__ up a skip _____ down a step? _____

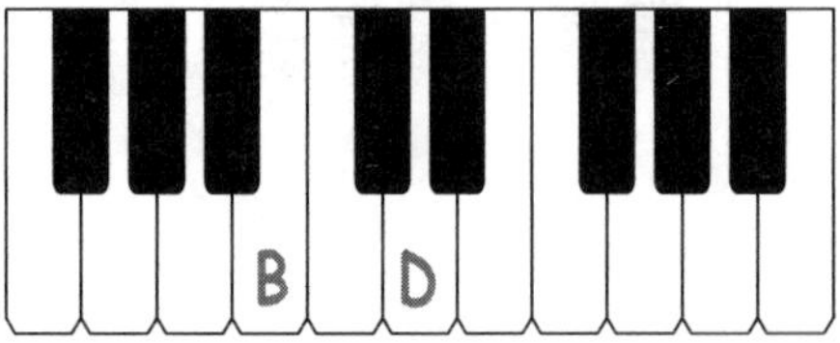

2. **G** up a skip _____ up a skip _____ down a skip? _____

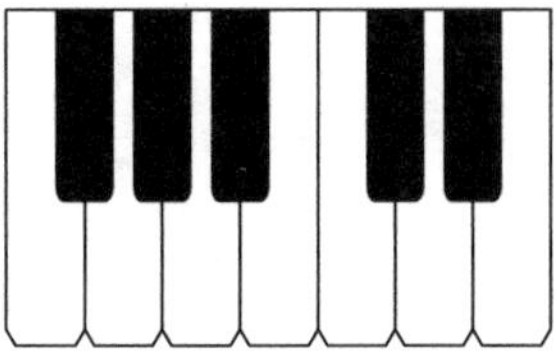

3. **A** down a step _____ down a step _____ down a step? _____

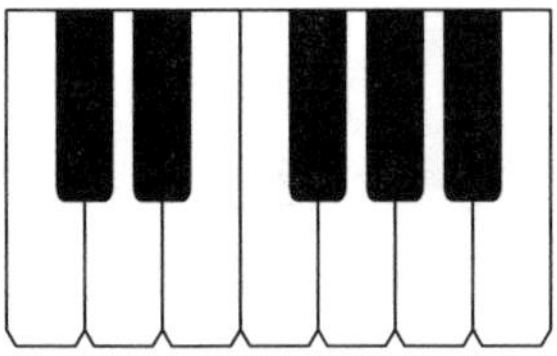

B. Unscramble the circled letters from above to complete the riddle.

Q: I produce honey and pollinate plants. Who am I?

A: A _____ _____ _____

A. Fill in the blanks and the keyboards with letter names to complete each puzzle.

1. **D** up a skip ____ up a skip ____ down a step? ____

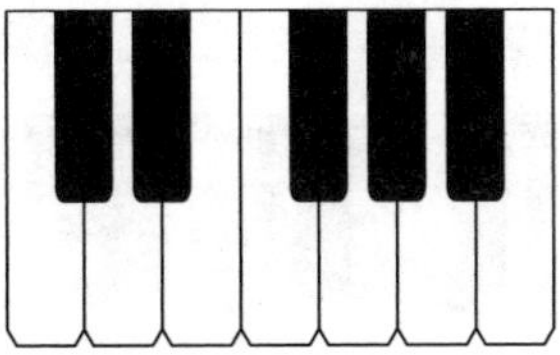

2. **B** down a step ____ down a skip ____ down a step? ____

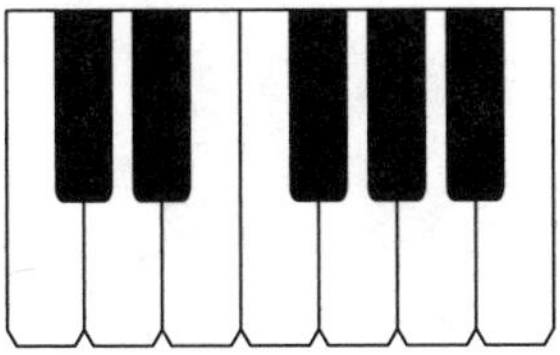

3. **C** down a skip _____ up a step ____ down a skip? ____

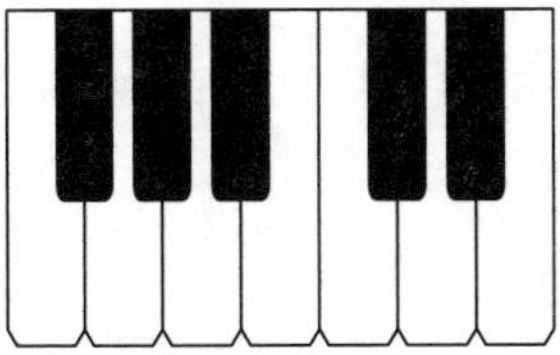

B. Unscramble the circled letters from above to complete the riddle.

Q: Poached, scrambled, over easy... Who am I?

A: An ____ ____ ____

Line Notes

A. Write the letter names of the keys in the blanks to form skips up the keyboard.

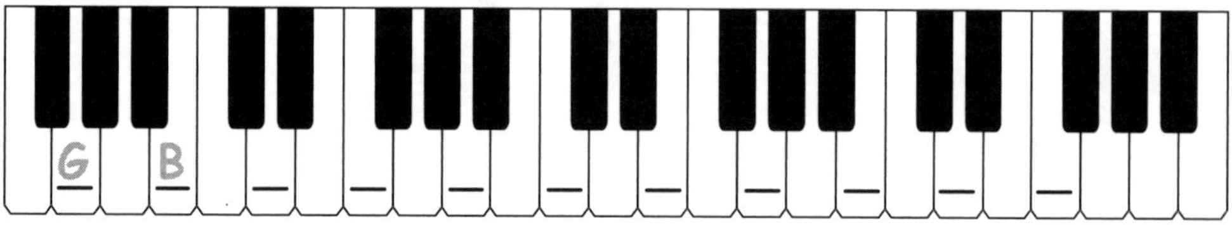

B. Write the letter names of the line notes three times.

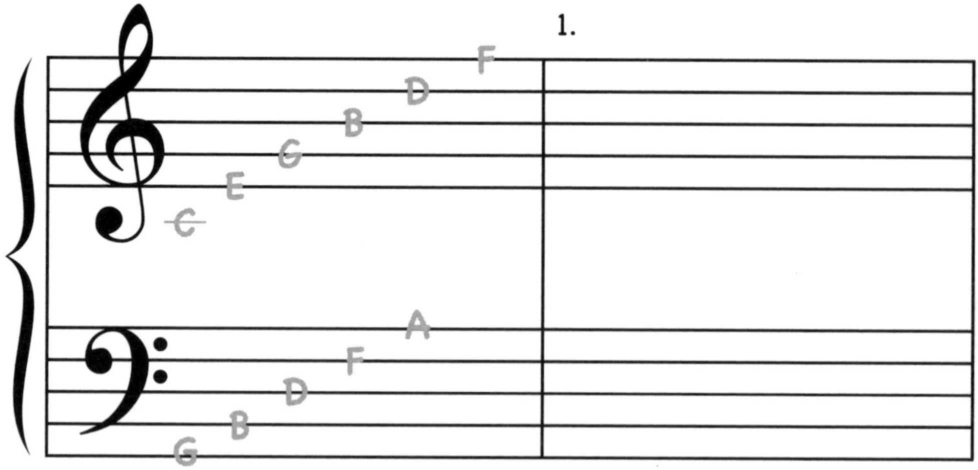

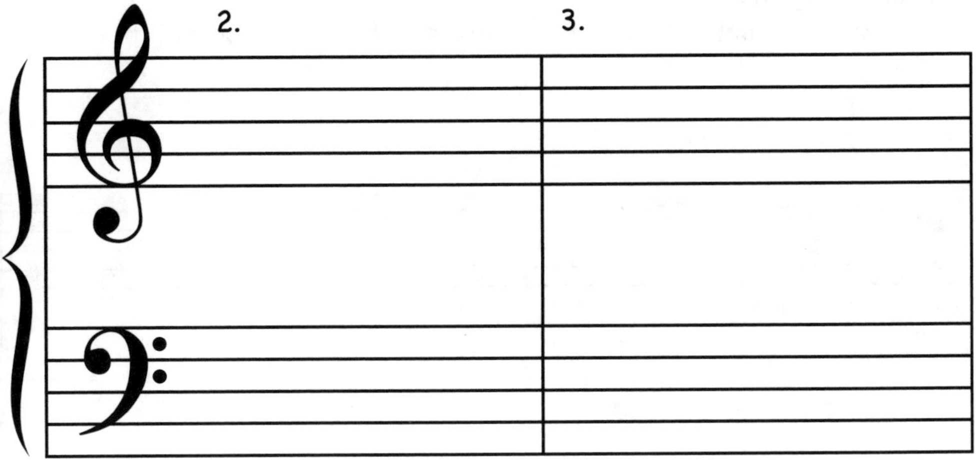

C. Unscramble the letters to form a palindrome. (Hint: A palindrome is a word that reads the same forwards and backwards!)

Q: What do you call a young dog?

A: A ___ ___ ___

U P P

A. Name each note.
B. Write the numbered notes on the staff in the correct place on the keyboard.

1.____ 2.____ 3.____ 4.____ 5.____ 6.____

Middle C

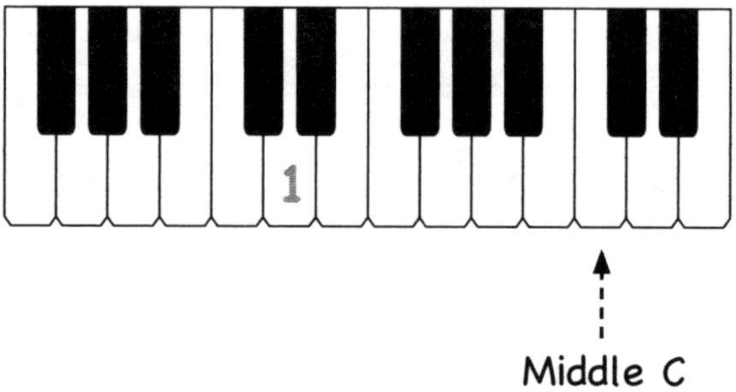

C. Unscramble the letters to form a palindrome.

Q: Who was this famous Egyptian King?

A: King ____ ____ ____

U   T   T

A. Name each note.

B. Write the numbered notes on the staff in the correct place on the keyboard.

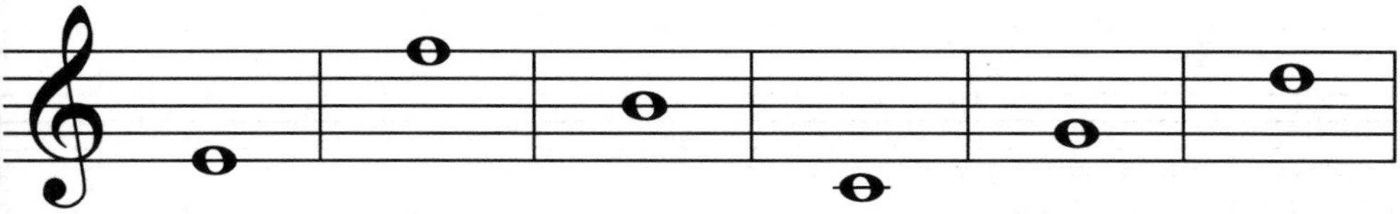

1. ____ 2. ____ 3. ____ 4. ____ 5. ____ 6. ____

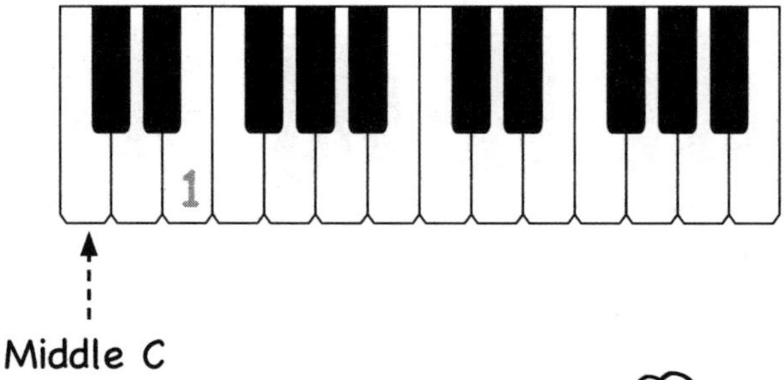

A. Draw lines connecting each note to its correct answer.

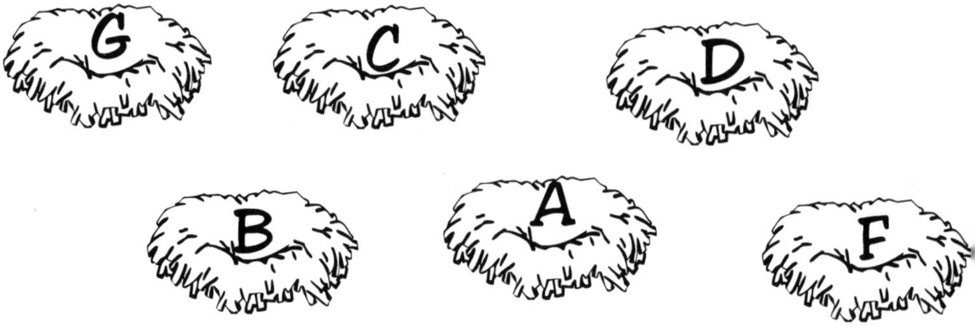

B. Name the notes to form words.

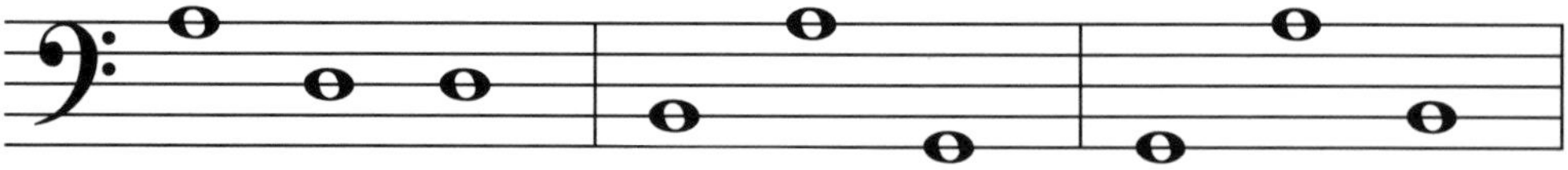

1. ___ ___ ___ 2. ___ ___ ___ 3. ___ ___ ___

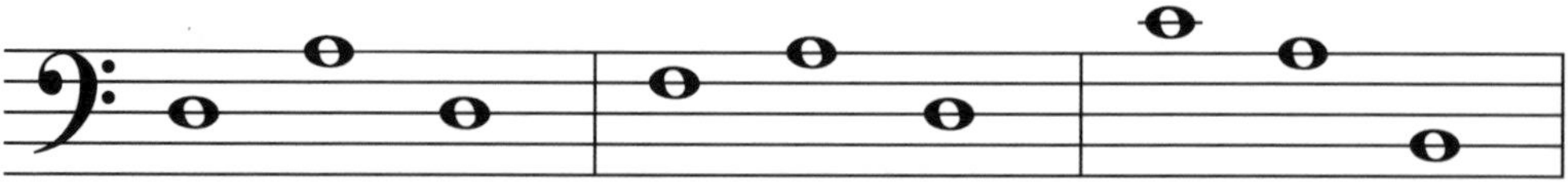

4. ___ ___ ___ 5. ___ ___ ___ 6. ___ ___ ___

A. Draw lines connecting each note to its correct answer.

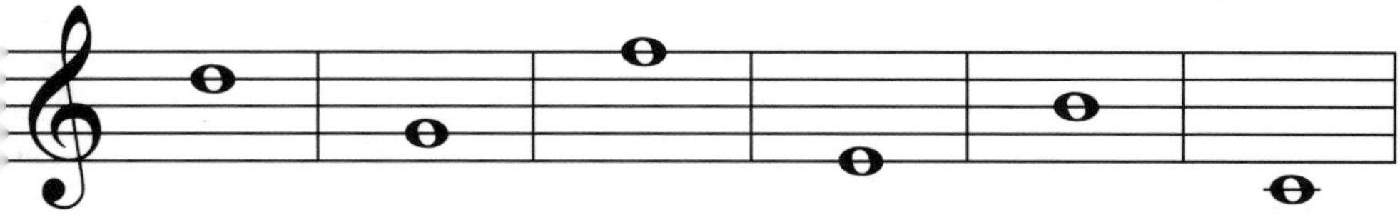

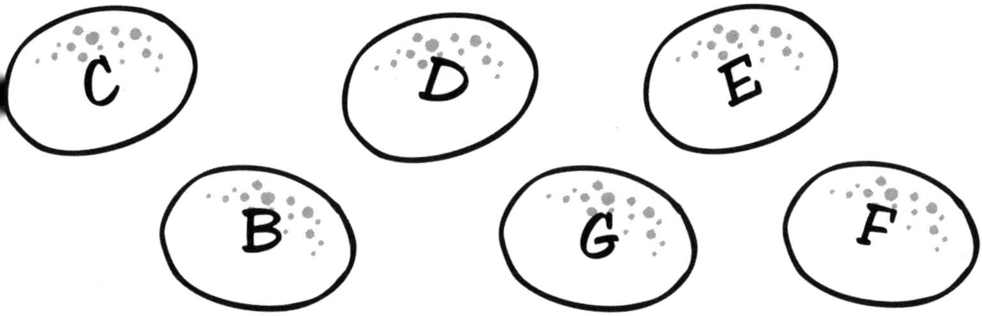

B. Name the notes to form words.

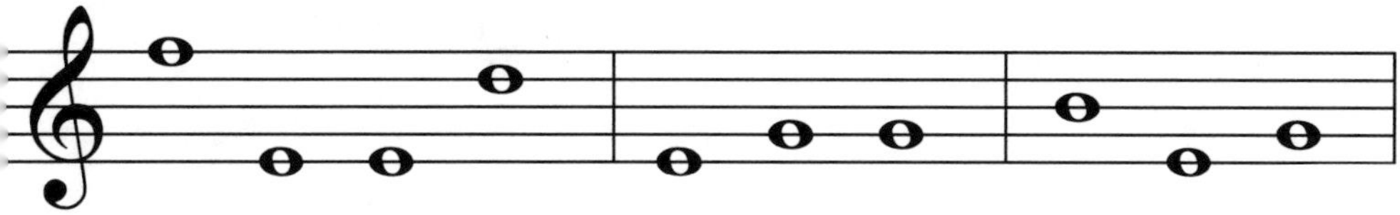

1. ___ ___ ___ ___ 2. ___ ___ ___ 3. ___ ___ ___

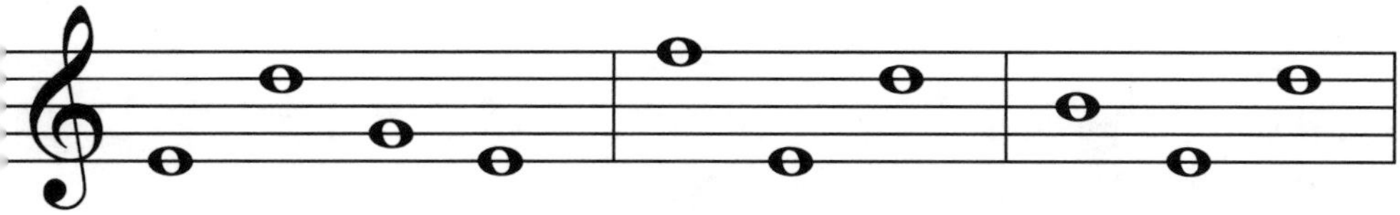

4. ___ ___ ___ ___ 5. ___ ___ ___ 6. ___ ___ ___

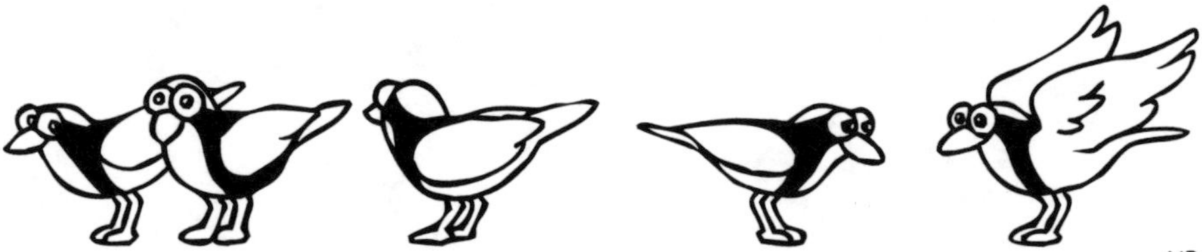

A. Draw each **line note** on the staff.
B. Write the numbered notes on the staff in the correct place on the keyboard.

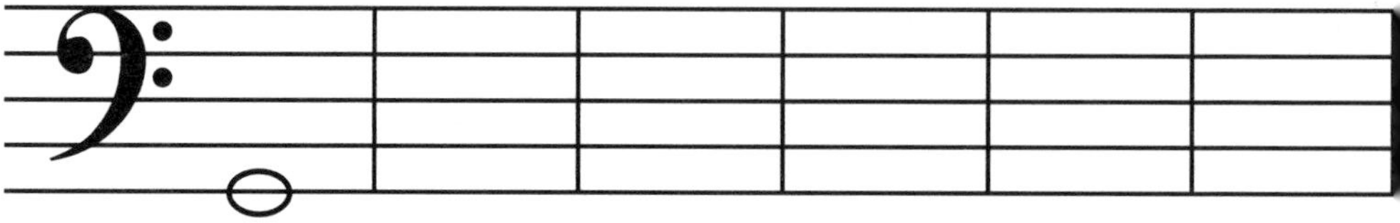

1. G 2. F 3. D 4. B 5. Middle C 6. A

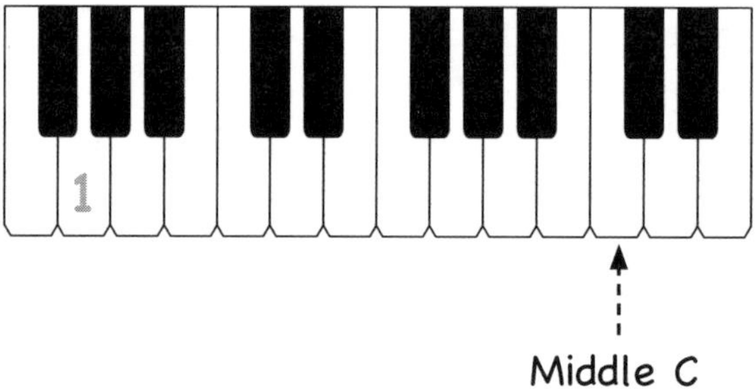

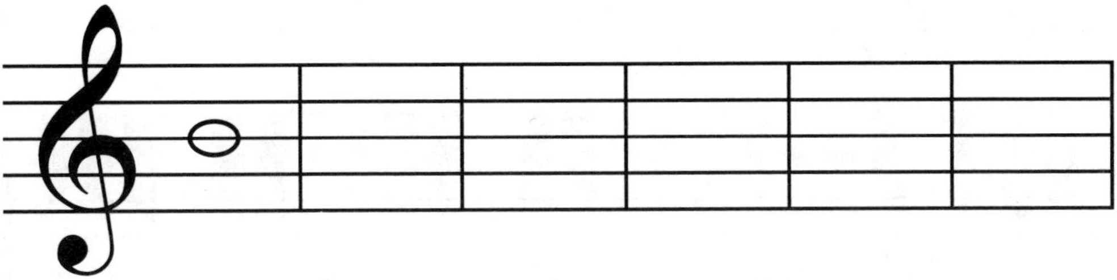

7. B 8. G 9. F 10. E 11. Middle C 12. D

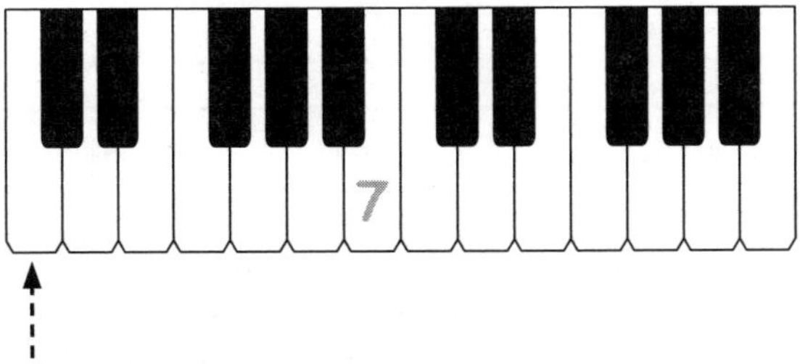

Q: What gives people mathematical information about sports?

A: __ __ __ __ __ T S S T A

A. Write the letter names of the line notes on the keyboard and the grand staff.

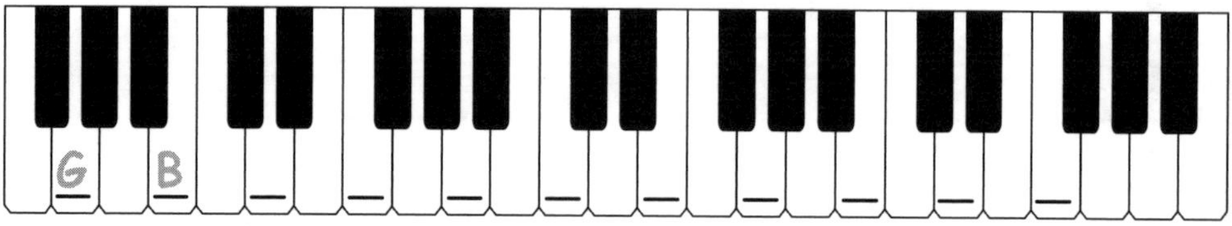

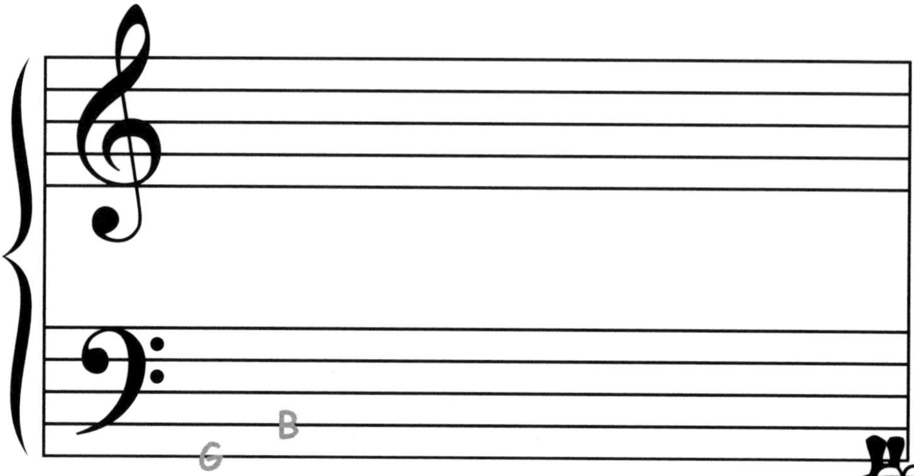

B. Unscramble the letters to form a palindrome.

Q: What do you call a female sheep?

A: A ___ ___ ___ E W E

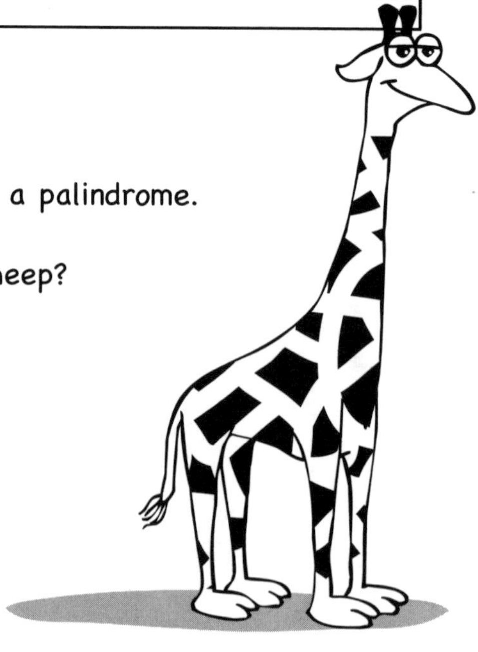

A. Name the line notes.

1. _____ 2. _____ 3. _____ 4. _____ 5. _____ 6. _____

7. _____ 8. _____ 9. _____ 10. _____ 11. _____ 12. _____

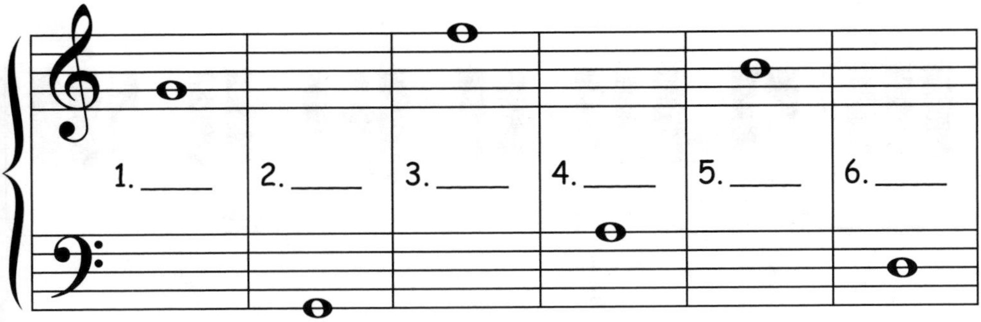

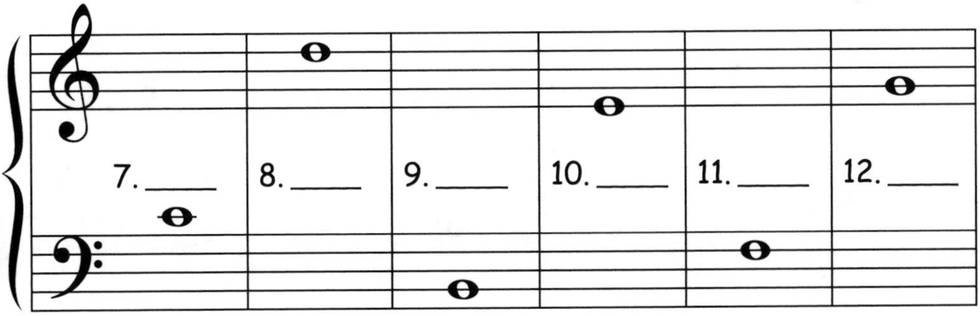

B. Unscramble the letters to form a palindrome.

Q: What palindrome relates to a city, citizen, or citizenship?

A: _ _ _ _ _ _ _ C I I C V

A. Write the letter names of the keys in the blanks to form skips up the keyboard.

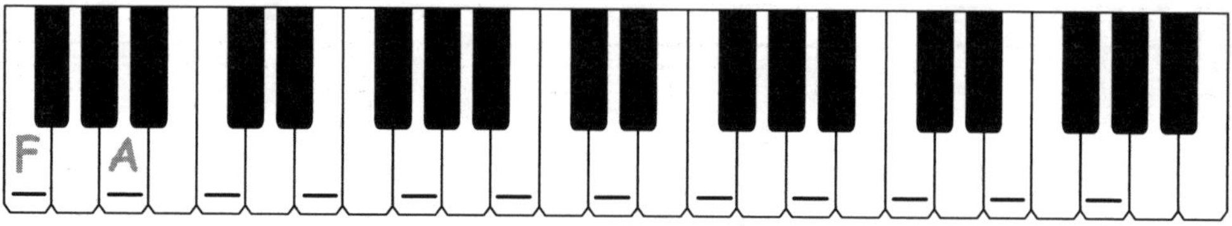

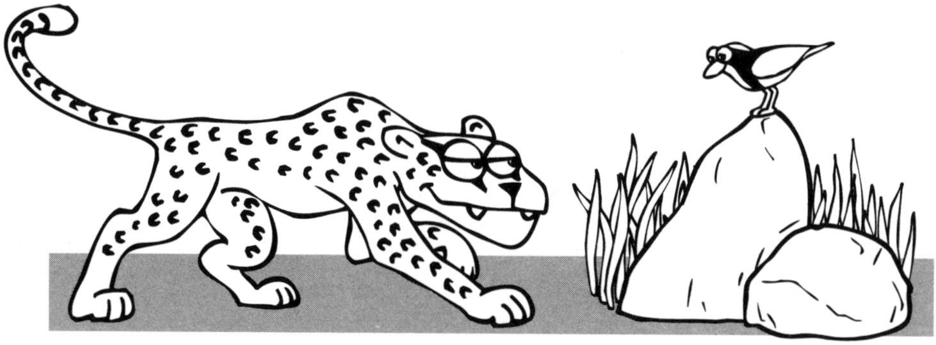

B. Write the letter names of the space notes three times.

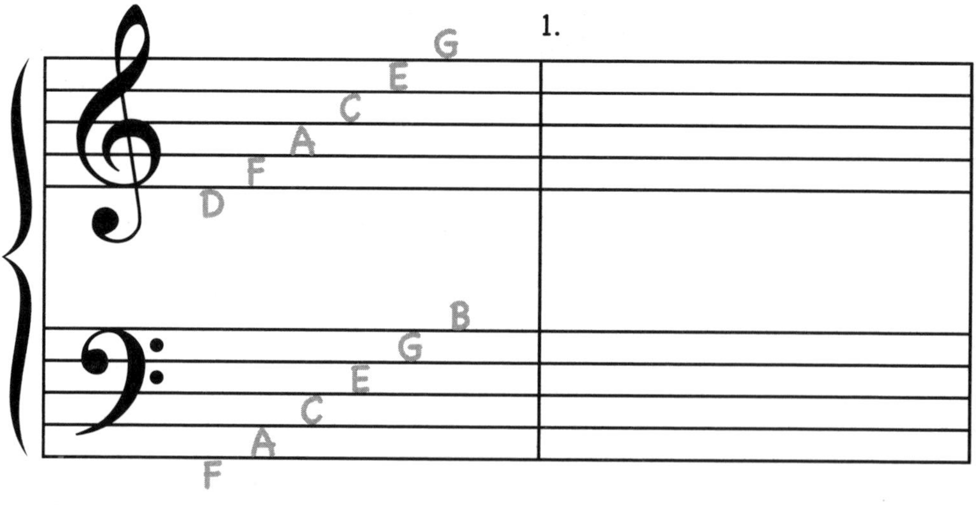

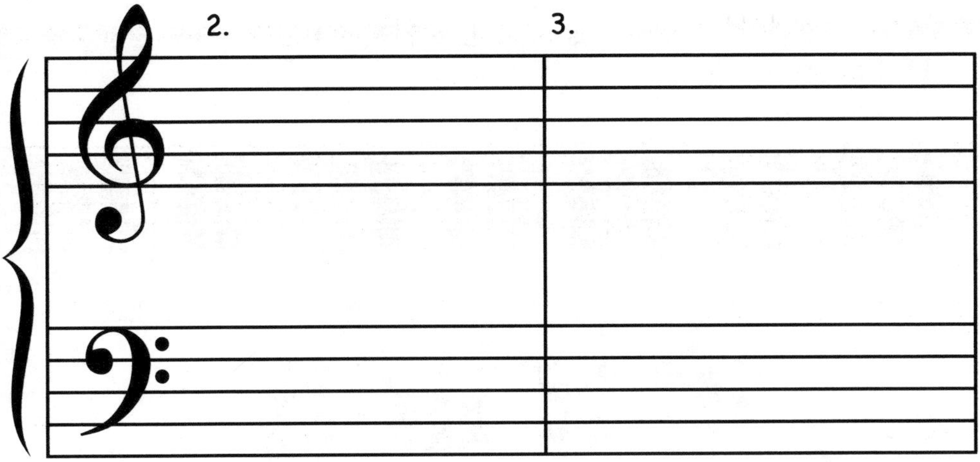
2.
3.

A. Name each note.
B. Write the numbered notes on the staff in the correct place on the keyboard.

1. ____ 2. ____ 3. ____ 4. ____ 5. ____ 6. ____

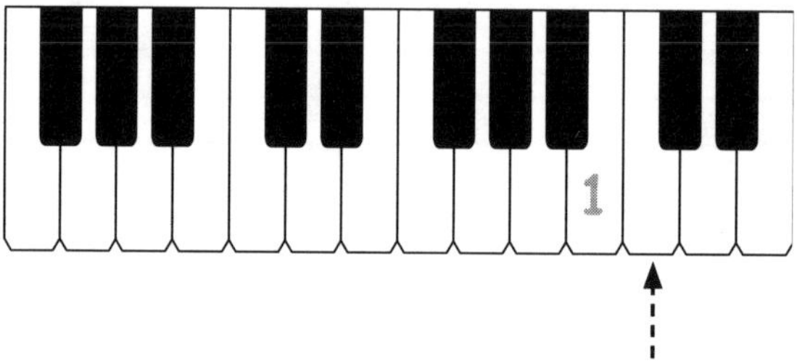

Middle C

C. Unscramble the letters to form a palindrome.

Q: What is capable of going more than 200 miles per hour?

A: A ___ ___ ___ ___ ___ ___ ___ C R R A E A C

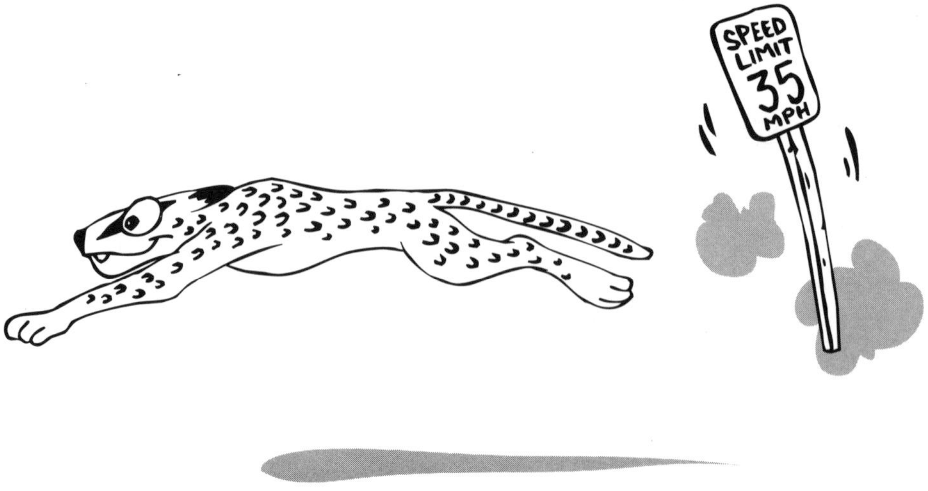

A. Name each note.

B. Write the numbered notes on the staff in the correct place on the keyboard.

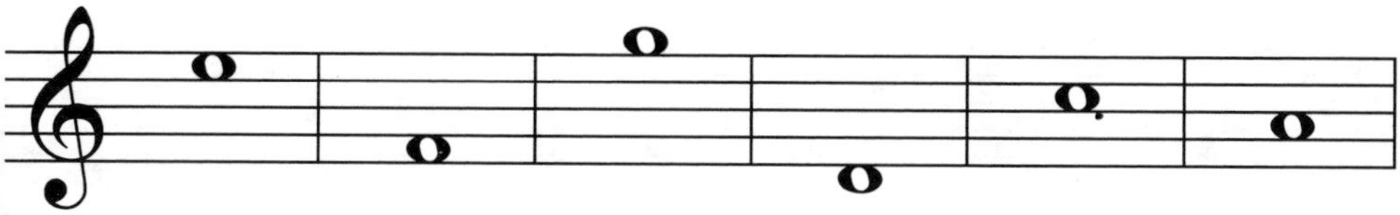

1. ____ 2. ____ 3. ____ 4. ____ 5. ____ 6. ____

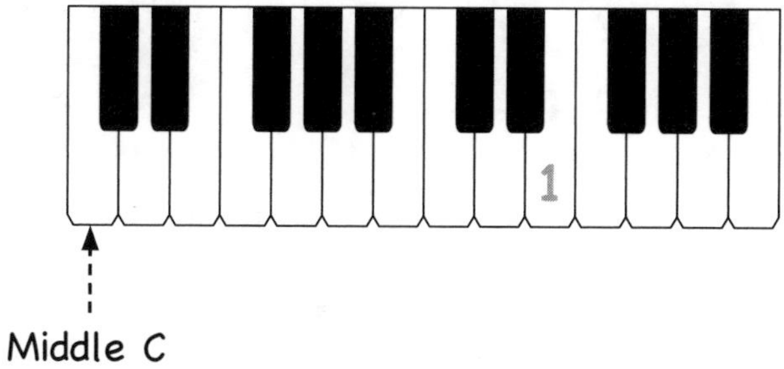

C. Unscramble the letters to solve the riddle.

Q: What word is spelled the same upside-down? (**Hint**: Use all capital letters.)

A: _ _ _ _ _ S I W S M

A. Draw lines connecting each note to its correct answer.

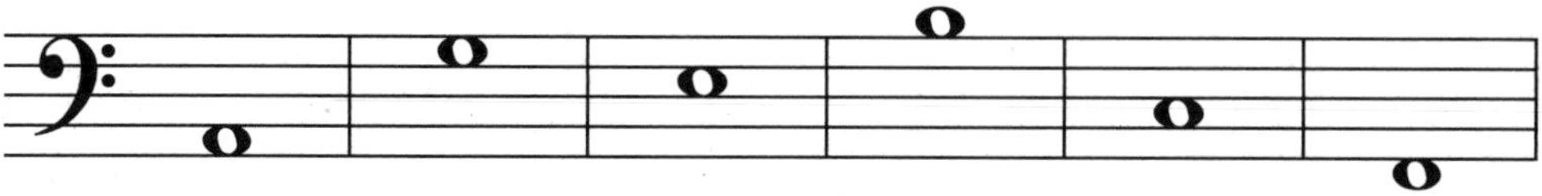

B. Name the notes to form words.

1.___ ___ ___ ___ 2.___ ___ ___ ___ 3.___ ___ ___

4. ___ ___ ___ 5.___ ___ ___ 6.___ ___ ___ ___ ___ ___ ___

A. Draw lines connecting each note to its correct answer.

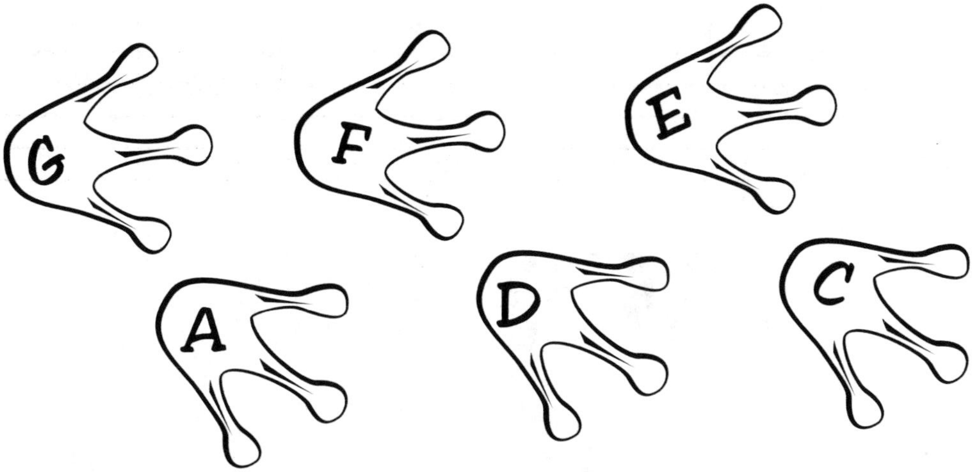

B. Name the notes to form words.

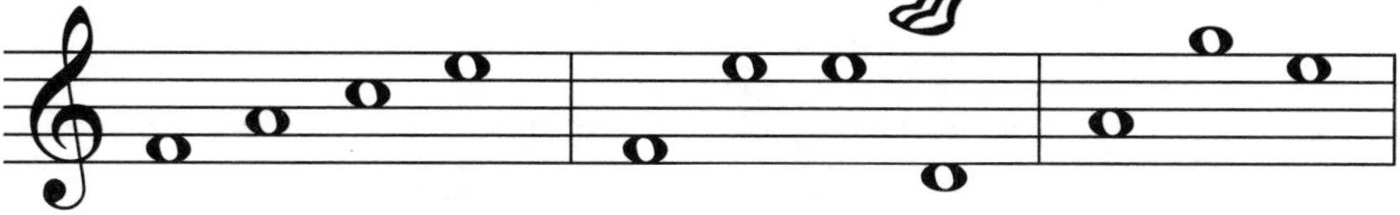

1. ___ ___ ___ ___ 2. ___ ___ ___ ___ 3. ___ ___ ___

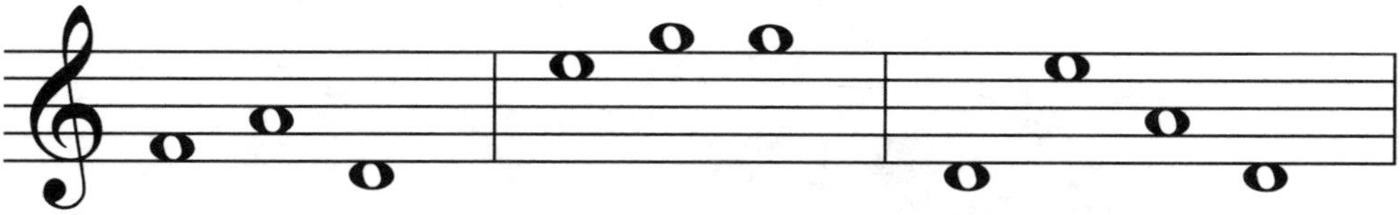

4. ___ ___ ___ 5. ___ ___ ___ 6. ___ ___ ___ ___

A. Draw each **space note** on the staff.
B. Write the numbered notes on the staff in the correct place on the keyboard.

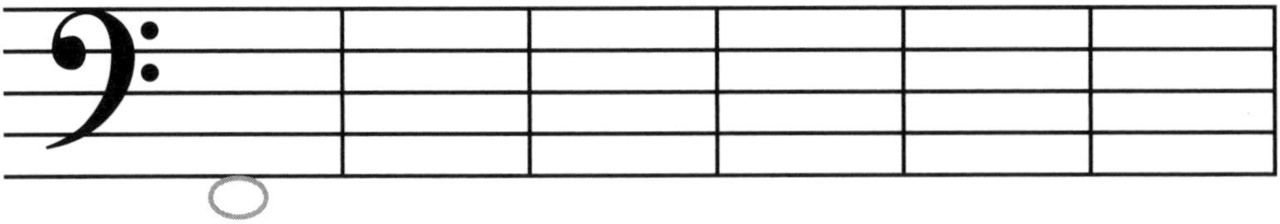

1. F   2. G   3. A   4. E   5. C   6. B

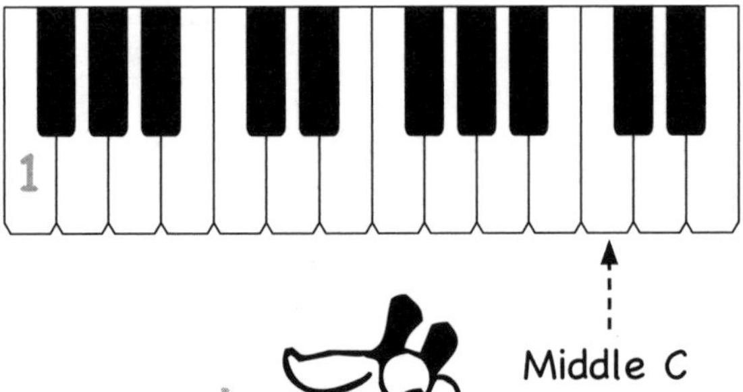

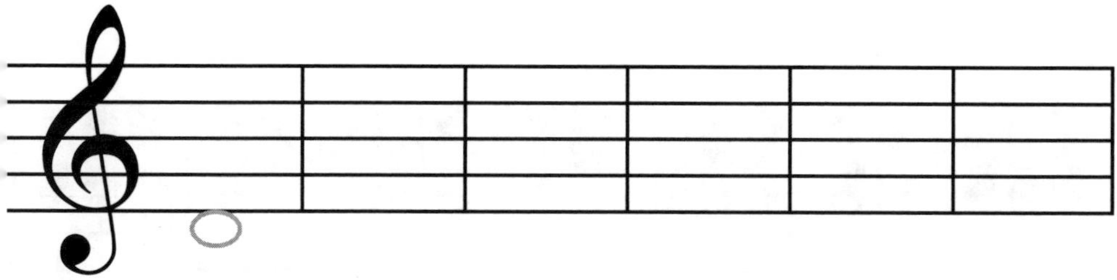

7. D 8. E 9. A 10. C 11. G 12. F

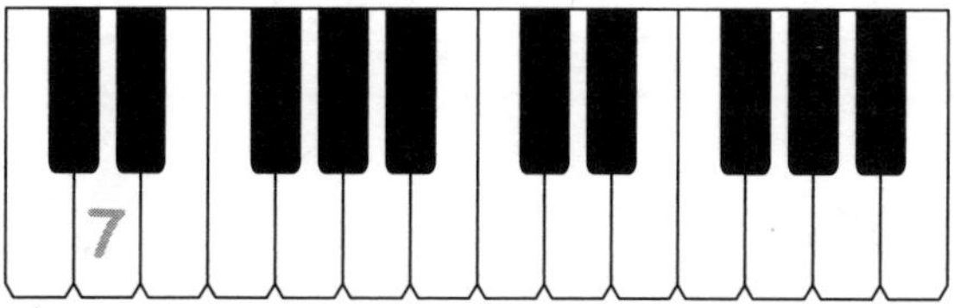

Middle C

C. Unscramble the letters to form a palindrome.

Q: What do you call a small boat with a double bladed paddle?

A: A _ _ _ _ _ K K A Y A A

Write the letter names of the space notes on the keyboard and the grand staff.

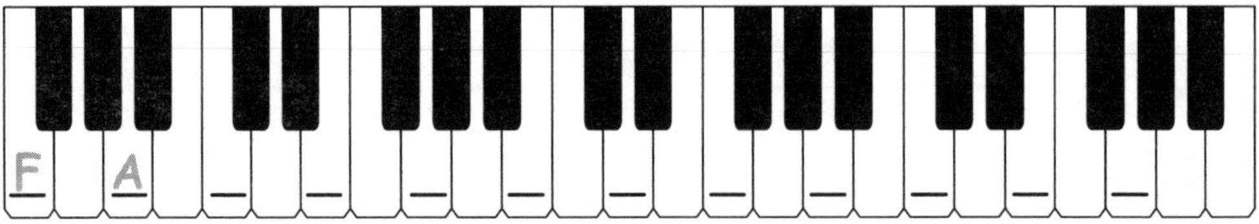

A. Name the space notes.

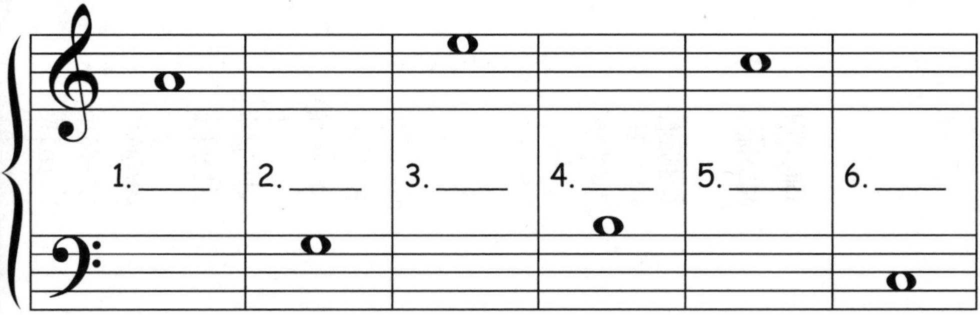

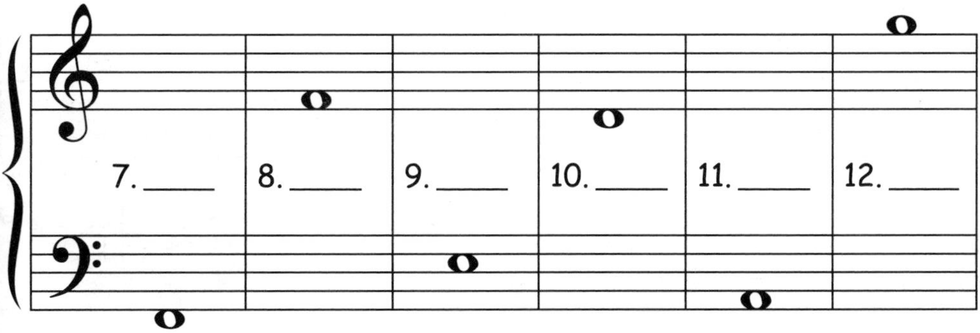

A. Name the notes.

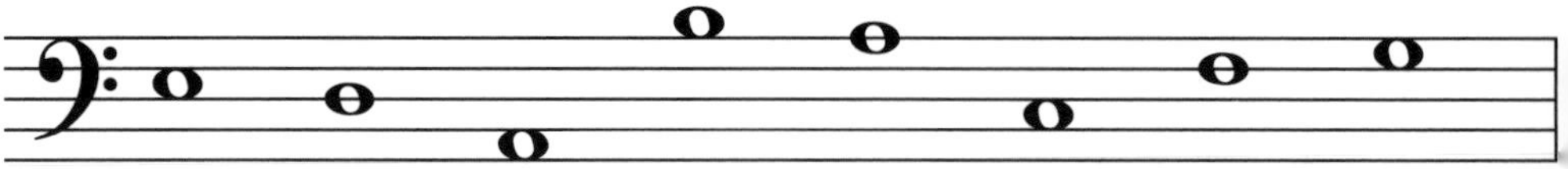

1. ___ 2. ___ 3. ___ 4. ___ 5. ___ 6. ___ 7. ___ 8. ___

9. ___ 10. ___ 11. ___ 12. ___ 13. ___ 14. ___ 15. ___ 16. ___

17. ___ 18. ___ 19. ___ 20. ___ 21. ___ 22. ___ 23. ___ 24. ___

B. Unscramble the letters to form a palindrome.

Q: What do baseball coaches use to measure how fast the pitcher is throwing the ball?

A: ___ ___ ___ ___ ___ A A D R R

A. Name the notes.

1. ___ 2. ___ 3. ___ 4. ___ 5. ___ 6. ___ 7. ___ 8. ___

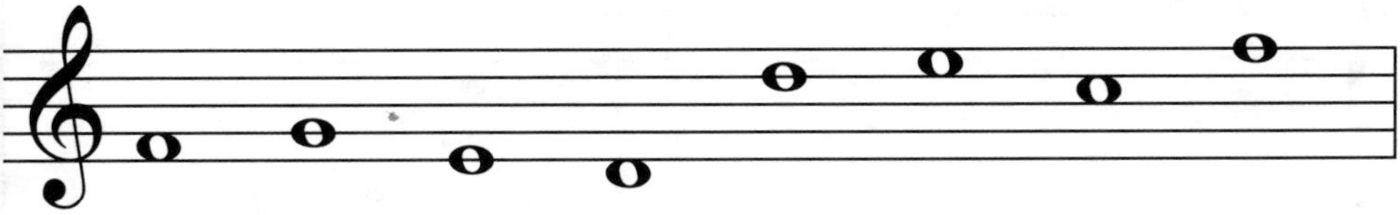

9. ___ 10. ___ 11. ___ 12. ___ 13. ___ 14. ___ 15. ___ 16. ___

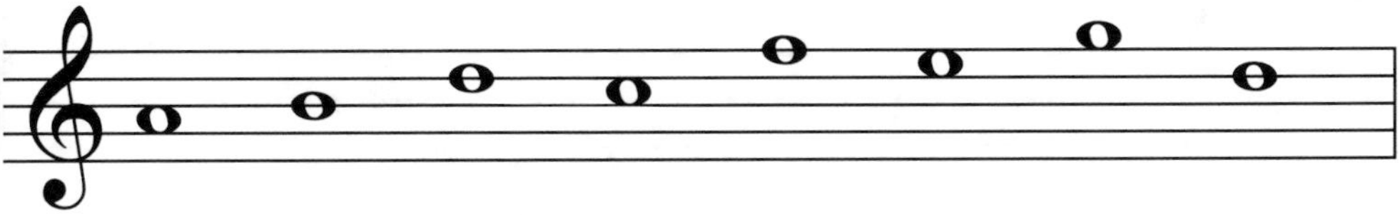

17. ___ 18. ___ 19. ___ 20. ___ 21. ___ 22. ___ 23. ___ 24. ___

B. Unscramble the letters to form a palindrome.

Q: When is the sun is at its highest peak?

A: ___ ___ ___ ___ O N O N

Color the:

E's red. F's pink. D's green.
A's blue. B's purple. G's brown.
C's yellow.

Draw lines matching each group of letters to the correct notes on the staff.

1. F–A

2. C–F

3. D–F

4. B–F

5. G–B

6. G–E

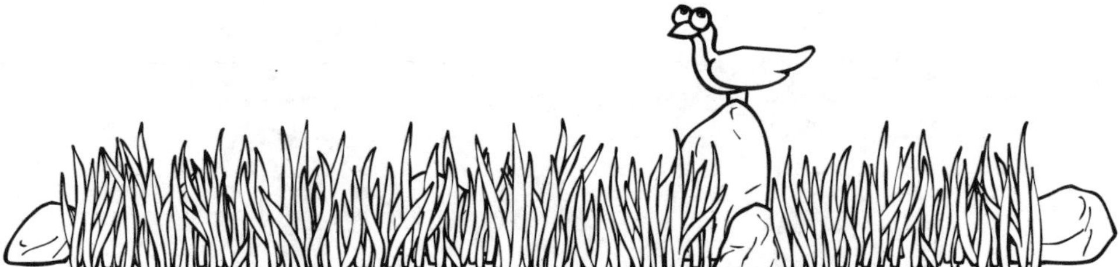

Color the:

G's red. E's yellow F's orange.
D's purple. B's green. C's brown.
A's blue.

A. Name each note.
B. Write the numbered notes on the staff in the correct place on the keyboard.

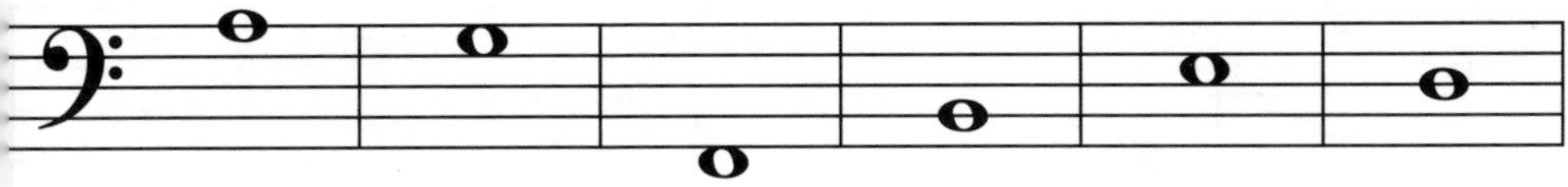

1. ____ 2. ____ 3. ____ 4. ____ 5. ____ 6. ____

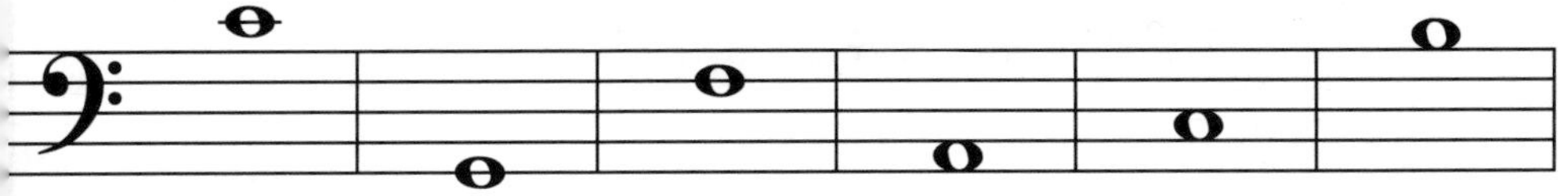

7. ____ 8. ____ 9. ____ 10. ____ 11. ____ 12. ____

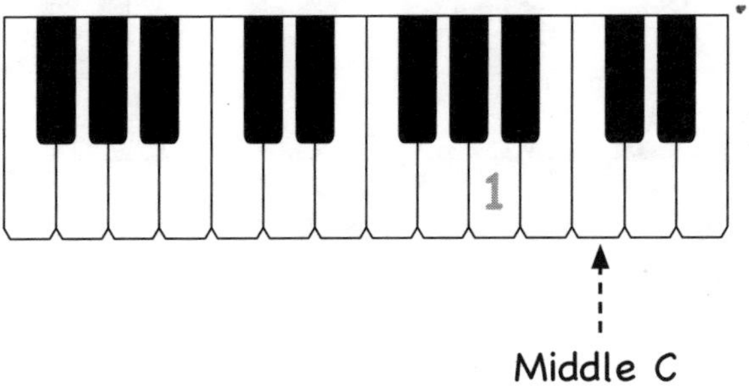

A. Name each note.
B. Write the numbered notes on the staff in the correct place on the keyboard.

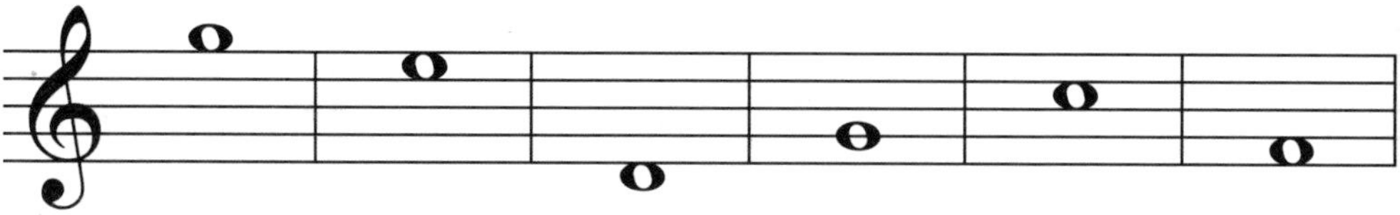

1. ____ 2. ____ 3. ____ 4. ____ 5. ____ 6. ____

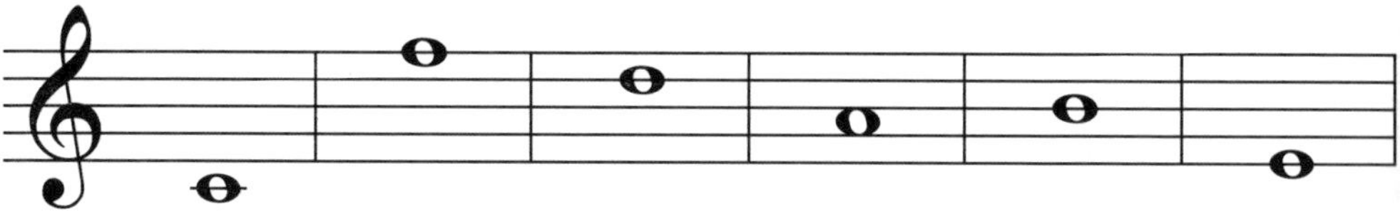

7. ____ 8. ____ 9. ____ 10. ____ 11. ____ 12. ____

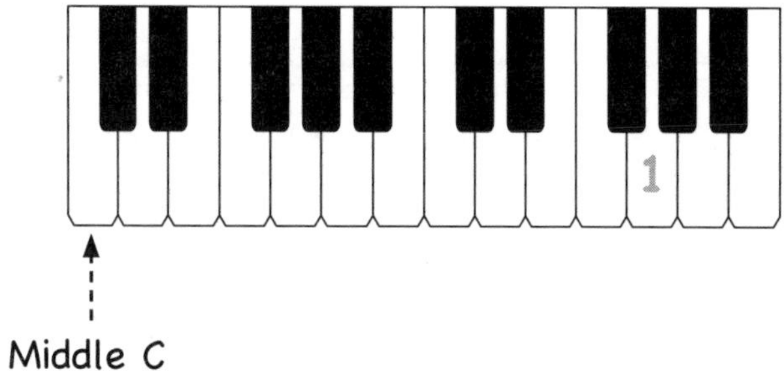

Name the notes.

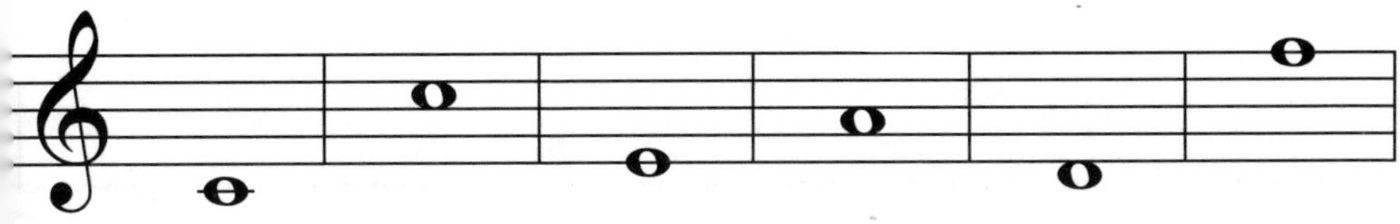

1. ____ 2. ____ 3. ____ 4. ____ 5. ____ 6. ____

7. ____ 8. ____ 9. ____ 10. ____ 11. ____ 12. ____

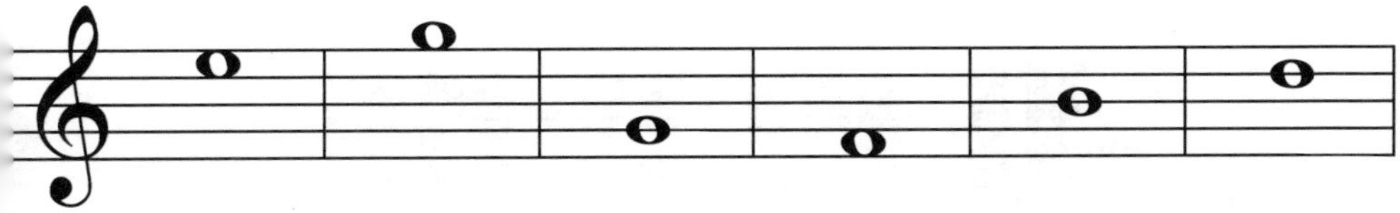

13. ____ 14. ____ 15. ____ 16. ____ 17. ____ 18. ____

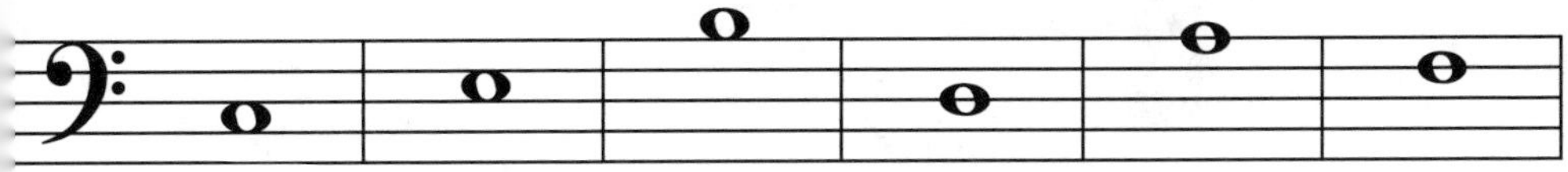

19. ____ 20. ____ 21. ____ 22. ____ 23. ____ 24. ____

CONGRATULATIONS!

____

can name all of the line notes and
space notes on the staff with ease!

____
Teacher's Signature

____
Date